JUMP COMICS

魔砲使い《まほうつかい》黒姫《くろひめ》

片倉《かたくら》・狼組《おおかみぐみ》・政憲《まさのり》

四 死神天使《しにがみてんし》

黒《くろ》姫《ひめ》（姫《ひめ》子《こ》）

史上最強《しじょうさいきょう》の美魔女《びまじょ》。神《かみ》の天罰《てんばつ》として少女《しょうじょ》・姫子《ひめこ》に姿《すがた》を変《か》えられ、力《ちから》も激減《げきげん》。神《かみ》の呪《のろ》いを解《と》くために、零《ゼロ》を伴《ともな》い旅《たび》を続《つづ》けている。

前巻《ぜんかん》までのあらすじ

世界最強《せかいさいきょう》と謳《うた》われた絶世《ぜっせい》の美魔女《びまじょ》・黒姫《くろひめ》は、神《かみ》に挑《いど》んだ天罰《てんばつ》により、少女《しょうじょ》・姫子《ひめこ》に、その姿《すがた》を変《か》えられた。

一方《いっぽう》、幼《おさな》い頃《ころ》、黒姫《くろひめ》に命《いのち》を救《すく》われた零《ゼロ》は、凄腕《すごうで》の銃《じゅう》戦侍《せんし》に成長《せいちょう》し、黒姫《くろひめ》を捜《さが》す旅《たび》に出《で》た。ある時《とき》、姫子《ひめこ》と出会《であ》った零《ゼロ》は、彼女《かのじょ》こそ姿《すがた》を変《か》えた黒姫《くろひめ》と知《し》り、呪《のろ》いを解《と》く旅《たび》に同行《どうこう》する。零《ゼロ》の献身的《けんしんてき》な愛《あい》は黒姫《くろひめ》の呪《のろ》いを解《と》くが、その効果《こうか》は一瞬《いっしゅん》…。

そんな二人《ふたり》の前《まえ》に現《あらわ》れた悪魔《あくま》の少女《しょうじょ》・阿修羅《アスラ》。零《ゼロ》は彼女《かのじょ》から〝今《いま》の黒姫《くろひめ》は、神《かみ》に記憶《きおく》と愛情《あいじょう》を奪《うば》われ、怒《いか》りと力《ちから》だけを持《も》つ復讐《ふくしゅう》の権化《ごんげ》である〟と聞《き》かされて…!?

登場《とうじょう》人物《じんぶつ》紹介《しょうかい》

零《ゼロ》

黒姫《くろひめ》に恋《こい》する純情少年《じゅんじょうしょうねん》。四丁《よんちょう》の拳銃《けんじゅう》を操《あやつ》る、正義《せいぎ》の銃戦侍《じゅうせんし》。姫子《ひめこ》(黒姫《くろひめ》)を守《まも》りながら、共《とも》に旅《たび》をしている。

鬼丸《おにまる》

かつて、黒姫《くろひめ》に捨《す》てられたことを恨《うら》み、黒姫《くろひめ》の命《いのち》を狙《ねら》っている。

争怒《ソード》

天上界《てんじょうかい》からやってきた死神天使団《しにがみてんしだん》の一人《ひとり》。過去《かこ》に黒姫《くろひめ》との因縁《いんねん》が…？

魔砲使い《まほうつかい》黒姫《くろひめ》

目《もく》 次《じ》

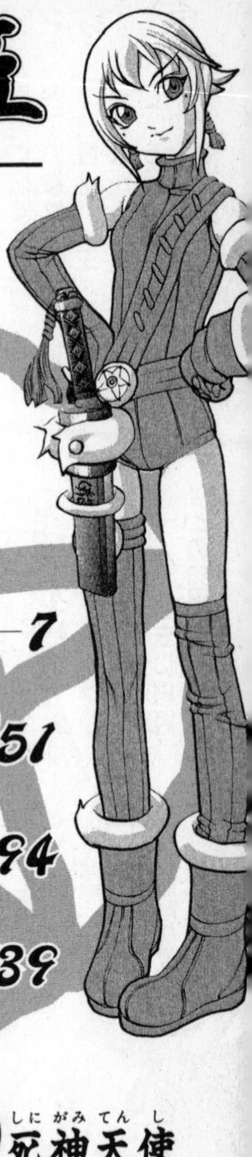

四 死神天使《しにがみてんし》

装《そう》8弾《だん》魔《マ》夜《ヤ》の馬車《ばしゃ》

―あの日《ひ》―
僕《ぼく》は黒姫《くろひめ》に救《すく》われ
正義《せいぎ》と愛《あい》を知《し》りました

それから10年《ねん》が経《た》ち
再《ふたた》び出《で》会《あ》つた黒姫《くろひめ》は
神《かみ》の呪《のろ》いによって
子供《こども》の姿《すがた》にされ
〃記憶《きおく》〃とともに〃愛情《あいじょう》〃を
奪《うば》われていたのです
あれは…
本来《ほんらい》の黒姫《くろひめ》の
抜《ぬ》け殻《がら》だ

ひゃはははは!!
ガン ガァン
盗賊《とうぞく》に荷馬車《にばしゃ》が襲《おそ》われてる!
ドドドド…
昼《ひる》にやれ昼《ひる》にーっ!!!

大変《たいへん》だ！
助《たす》けなきゃ！
「ありがと」って
言《い》われるだけだ
放《ほ》っとけって…
そんな…
10年前《ねんまえ》は僕《ぼく》を
救《すく》ってくれた
じゃない…
モソ
モソ
…？
そんな昔《むかし》の事《こと》
なんて覚《おぼ》えて
ないっス〜
モソ
モソ

ダッ
ったく
青二才《あおにさい》が…
やっぱり違《ちが》うんだ
10年前《あの頃》の姫《ひめ》とは…
あれは本来《ほんらい》の黒姫《くろひめ》の抜《ぬ》け殻《がら》だ
じゃあ僕《ぼく》は
誰《だれ》を愛《あい》して
誰《だれ》のために
戦《たたか》ってきたんだろう

ヒャハハハ
荷物《にもつ》を置《お》いて
出《で》て来《こ》い!
なんだ!!?
おいおい上玉《じょうだま》が
いるじゃねぇか!
こいつは高《たか》く
うれそうだぜ
よし! その
ガキ以外《いがい》は
皆殺《みなごろ》しだぁ!

銃《じゅう》で悪事《あくじ》を
働《はたら》くなんて
許《ゆる》せません
退《ひ》いて
下《くだ》さい
なんだコイツ
ガキのくせに凄《すご》い
早撃《はやう》ちじゃねぇか
だが
早撃《はやう》ちなら
負《ま》けねえよ…

ガシャア
死《し》ねえ!!!
ひははは！
いつまで
持《も》つかなぁ!?
今日《きょう》は…
大勢《おおぜい》"罠《わな》"に
掛《か》かったな…
ああ!?
おめえらに用《よう》は無《ね》え
黙《だま》って死《し》んでろ!!
いっ!!?

ヌオォオオオ
ヌウウウ
ハァハァ
やっぱりだ
あの馬車《ばしゃ》…
この世《よ》の
モノじゃない

幽霊馬車《ゆうれいばしゃ》を襲《おそ》った者《もの》は皆殺《みなごろ》しよ
わああああ

まだいる
あそこに生《い》きた人間《にんげん》がいる
あれ？急《きゅう》に静《しず》かになった…
わぁ
がっ…

待《ま》って!
なぜ止《と》める 魔夜《マヤ》
俺達《おれたち》殺《ころ》された こいつも殺《ころ》す
違《ちが》う 彼《かれ》は 助《たす》けようと してくれたのよ
私達《わたしたち》の敵《てき》は 〝盗賊《とうぞく》〟だけの はずでしょ
だが〝生人《いきびと》〟 俺達《おれたち》のこと 神《かみ》に告《つ》げ口《ぐち》する
その前《まえ》に 殺《ころ》す
殺《ころ》す!
いいえ 殺《ころ》さずに 仲間《なかま》にするのよ…

なんて
温《あたた》かい魂《たましい》…
僕《ぼく》は零《ゼロ》…
君《きみ》は誰《だれ》？
私《わたし》は魔夜《マヤ》
……
何《なに》か大切《たいせつ》な
ものを失《うしな》った
のね…零《ゼロ》

うん…
僕《ぼく》の信《しん》じていたものが何《なん》だったのか…
それが分《わ》からなくなって…
僕《ぼく》は誰《だれ》を愛《あい》し…
誰《だれ》のために戦《たたか》えばいいのか…
あああ！零《ゼロ》!!
それじゃあ私達《わたしたち》と一緒《いっしょ》に行《い》きましょう

うん
待《ま》てコラー!!!
黒鳥獣風
ゴトゴトゴト

ドパァ
パタ パタ
ゴト
ゴト
ゴト
零《ゼロ》・・・

魔夜《マヤ》はどこに行《い》くの？
私達《わたしたち》は終《お》わりのない旅《たび》をしているの…
終《お》わりのない…
旅《たび》…
パララ
パララ
パララ
パララ
パッパラ
パッパパ〜
ドドドド
パララ パララ
パララ
パラ〜
パッパラ パッパパ〜〜ン

零《ゼロ》ーっ!!!
姫《ひめ》!? どうしてここに…
?!

パララ
パラパパ
ラパパ
パラパッパララパパ
パララパララパララ
パラパパ
パーン
まともな魔砲弾《まほうだん》が練《つく》れなくても
この旋龍《せんりゅう》なら普通《ふつう》の弾《たま》でも大砲並《たいほうなみ》の威力《いりょく》を出《だ》すんだ
カッ
カッ

あ…あれ？
僕《ぼく》は一体《いったい》…
浮気《うわき》とは いい度胸《どきょう》じゃねぇか てめぇ
俺様《おれさま》という女神《めがみ》に仕《つか》えておきながら
他《ほか》の女《おんな》の色香《いろか》に惑《まど》わされてんじゃねぇ!!
盗賊《とうぞく》だ盗賊《とうぞく》が襲《おそ》ってきた
また我々《われわれ》の命《いのち》を狙《ねら》ってきたぞ!!

そうだ！ 僕《ぼく》 何《なに》かに 襲《おそ》われて…
わあああ!!?
″幽霊馬車《ゆうれいばしゃ》″さ
かつて盗賊《とうぞく》に 襲《おそ》われ殺《ころ》された 連中《れんちゅう》の怨念《おんねん》が
彷徨《さまよ》って 盗賊狩《とうぞくが》りを しているんだ
そ…それじゃあ 魔夜《マヤ》は…

!
……
わあああ

ピュゥン
キュゥン
キュゥン
ゲゲゲゲ
バカ！幽霊《ゆうれい》に鉛弾《なまりだま》が当《あ》たるかよ
幽霊《ゆうれい》と戦《たたか》えるのは幽霊《ゆうれい》くらいなもんだ
今《いま》は逃《に》げるしかない！
えええ!?
！
それなのに…
助《たす》けに来《き》てくれたんだ…

お前《まえ》達《たち》
逃《に》げられない
ここで
死《し》ぬ
タ～ン タ～ン タタ～ン
コラそこ！
絶望的《ぜつぼうてき》な
音楽《おんがく》流《なが》すな！
タ～タ
タ～タ タ～タタ～～ン
待《ま》って！
魔《マ》夜《ヤ》・・・

馬車《ばしゃ》を攻撃《こうげき》された
こいつら敵《てき》だ殺《ころ》す！
零《ゼロ》こっちに来《き》て！
あなただけなら私《わたし》が守《まも》ってみせるから
「だけ」って何《なん》だ!?
霊《れい》の分際《ぶんざい》で人《ひと》の番犬横《ばんけんよこ》取《ど》りする気《き》か！
零《ゼロ》！
……
ありがとう魔夜《マヤ》…
でも…失《うしな》った大切《たいせつ》なもの
見《み》つかったんだ…
クルッ
だから僕《ぼく》は戦《たたか》うよ

零《ゼロ》!!?

ごめんね…僕《ぼく》
姫《ひめ》を見失《みうしな》う
ところだった
でも 僕《ぼく》が姫《ひめ》の
ために戦《たたか》うことは
無駄《むだ》じゃ
なかったんだ…

だって姫《ひめ》は…
また僕《ぼく》を…
助《たす》けて…
くれた…
じゃあなんで
お前《まえ》…

霊《れい》になれば戦《たたか》えるんでしょ
これが最期《さいご》になるけど…姫《ひめ》は僕《ぼく》が…守《まも》ってみせる
…まだ逝《い》くな…

百
傷
メキ
メキ
メキ
回復魔砲《かいふくまほう》!
パア
桜花身弾《オオカミダン》
か…神《かみ》だ
神《かみ》が現《あらわ》れた
違《ちが》う
人間《にんげん》だ
でも
神《かみ》に近《ちか》い
気《き》を持《も》つ人間《にんげん》だ
ひ…
姫《ひめ》…

魔《ま》砲《ほう》使《つか》い
黒《くろ》姫《ひめ》

誰《だれ》が死《し》んでいいと言《い》った!
お前《まえ》は私《わたし》の番犬《ばんけん》なんだ 勝手《かって》なことをするな!
最期《さいご》なんて勝手《かって》に決《き》めるな!!
もし今度《こんど》勝手《かって》に死《し》んだら…

私《わたし》はお前《まえ》を絶対《ぜったい》に許《ゆる》さない！

う…
うん…
姫《ひめ》には今《いま》まで何度《なんど》もぶたれてた
でも 彼女《かのじょ》の涙《なみだ》を見《み》たとき…
僕《ぼく》はこれほど〝心《こころ》〟が痛《いた》いと感《かん》じたことはなかった
危険《きけん》…
この人間《にんげん》は危険《きけん》だ
殺《ころ》せ
殺《ころ》せ！

魔夜《マヤ》達《たち》は殺《ころ》されてこうなったんでしょ
だったら悪《わる》くないよ
助《たす》けてあげて姫《ひめ》
無《む》理《り》だ
遅《おそ》かれ早《はや》かれ怨霊《おんりょう》には天罰《てんばつ》が下《くだ》るものだ
せめて早《はや》く楽《らく》にしてやるしかないね
復《ふっ》活《かつ》魔《ま》砲《ほう》
裏《リー》神《シン》術《ジュ》再《サ》魂《コン》弾《ダン》!!
ゴオォウ

元《もと》の体《からだ》に戻《もど》った？
ま…まさかこれは…
生《い》きている！
生《い》き返《かえ》ったぞ!!
これは一体《いったい》…
魔夜《マヤ》！
この世《よ》には絶対《ぜったい》に破《やぶ》ってはならない鉄則《てっそく》が一《ひと》つだけある
それは死《し》だ
生死《せいし》を操《あやつ》るのは最高位《さいこうい》の神《かみ》のみに許《ゆる》された特権《とっけん》だ
だからもし蘇《よみがえ》った者《もの》がいれば
たちまち神《かみ》の軍団《ぐんだん》に魂《たましい》ごと抹消《まっしょう》される

な…なんだ
あれは!?
…
あ…
あれは…
ゴゴ
ゴ
ゴ
ゴゴ
死《しに》神《がみ》天《てん》使《し》団《だん》

そ…そんな…

何《なん》の真似《まね》だ
邪魔《じゃま》をすれば
お前《まえ》の魂《たましい》も
抹消《まっしょう》するぞ
零《ゼロ》!!?
僕《ぼく》だって 10年前《ねんまえ》
姫《ひめ》に救《すく》われたんだ
なのに 魔夜《マヤ》だけ
救《すく》われないなんて
おかしいよ!
スゥ
ううん
零《ゼロ》は救《すく》って
くれた…

これでやっと
終《お》わりのない
復讐《ふくしゅう》の旅《たび》から
解《と》き放《はな》たれる
んだもの
ありがとう
零《ゼロ》には私《わたし》の分《ぶん》まで
生《い》きてもらえたら
…うれしいな…
魔夜《マヤ》…

さて…
一度《いちど》ならず二度《にど》までも
しかもこれだけの数《かず》の魂を復活《ふっかつ》させた罪《つみ》は重《おも》い
これより黒姫《おまえ》の魂《たましい》も抹消《まっしょう》する

死《しに》神《がみ》天《てん》使《し》団《だん》
神《かみ》の使《つか》いっ走《ばし》りがずいぶんと現《あらわ》れたな
神《かみ》のみに許《ゆる》された力《ちから》を行使《こうし》し
一度《いちど》ならず二度《にど》までも死人《しにん》を蘇《よみがえ》らせた罪《つみ》は重《おも》いわ
装《そう》9弾《だん》死神天使《しにがみてんし》（前編《ぜんぺん》）

装《そう》9弾《だん》
死神《しにがみ》天使《てんし》
（前編《ぜんぺん》）
黒姫《キサマ》の魂《たましい》をもって償《つぐな》うがいい

ムニュウ
神《かみ》にもなれない天使風情《てんしふぜい》に
この黒姫様《くろひめさま》の相手《あいて》が務《つと》まるのか？

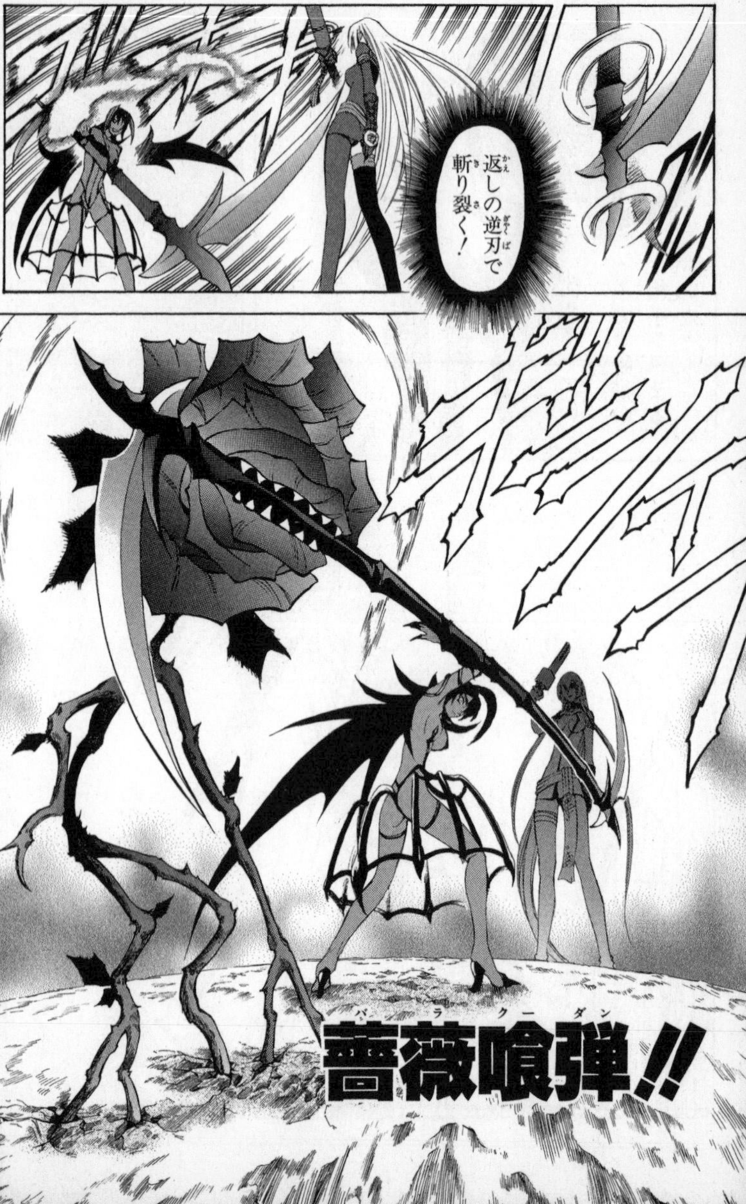
返《かえ》しの逆刃《ぎゃくば》で斬《き》り裂《さ》く!
薔薇喰弾《バラクーダン》!!

一発《いっぱつ》の弾丸《だんがん》で攻撃《こうげき》を防《ふせ》ぎ反撃《はんげき》に転《てん》じた
これが黒姫《くろひめ》の魔砲《まほう》か
さあ次《つぎ》は何《なに》が出《で》るかな?
調子《ちょうし》に乗《の》るな
この小僧《こぞう》の〃愛《あい》〃がなければその姿《すがた》にはなれぬのだろう

ふっ
私《わたし》は世界最強《せかいさいきょう》の黒姫《くろひめ》なんだよ
零《ゼロ》の代《か》わりの愛情《あいじょう》なんていくらでも手《て》に入《はい》るのさ!
不死龍弾《フシリダン》!!!

こんな時《とき》に
チンチクリン
チンチクリン
ガルルル…
シャー
神《かみ》の呪《のろ》いかよ
ちょっと待《ま》て待《ま》て待《ま》て待《ま》て
オイ！早《はや》く惚《ほ》れさせろ お前《まえ》に惚《ほ》れないと
強《つよ》く美《うつく》しい元《もと》の姿《すがた》に戻《もど》れないだろ
そ…そんな事《こと》急《きゅう》に言《い》われても…
駄目《だめ》だ 肝心《かんじん》な時《とき》に使《つか》えねえ…
そもそもこんな青二才《あおにさい》に惚《ほ》れるなんて無理《むり》っス
シッ シッ

そもそも成仏出来《じょうぶつでき》ない 魂《たましい》を狩《か》るのは 死神《しにがみ》の役目《やくめ》だろ
死人《しにん》を蘇《よみがえ》らせたの だって お前《まえ》らに 狩《か》らせるためだぞ!
むしろ礼《れい》を言《い》え! 感謝《かんしゃ》しろ!!
つまり勝手《かって》に 我々《われわれ》を利用《りよう》 したのね
ん~とね~
え~と…
だが奴《やっ》の 言《い》う通《とお》りだ 争怒《ソード》
我々《われわれ》 死神天使団《しにがみてんしだん》は 魂《なましい》の番人《ばんにん》 生人《いきびと》を 殺《ころ》す権限《けんげん》はない
でも これ以上《いじょう》 好《す》き勝手《かって》させる わけには いかないわ
ついに 見《み》つけたで
姫子《ひめこ》…いや 黒姫《くろひめ》を殺《や》るんは このワシや

鬼《おに》丸《まる》!!!

ザザァァ
ザザッ
ザッ
へへへ 今日《きょう》は いつものワシとは 違《ちゃ》うでぇ
大陸中《たいりくじゅう》から 鬼丸団《おにまるだん》を集結《しゅうけつ》 させたんや
その数《かず》 なんと
5兆《ちょう》万《まん》億《おく》人《にん》!!!

単位《たんい》めちゃめちゃや
ハッタリにも
程《ほど》がありまっせ
言《い》うたもん
勝《が》ちや！
人目《ひとめ》に
付《つ》きすぎる
行《い》くぞ 争怒《ソード》
このままでは
済《す》まさないわよ
なんですの
あれ？
なんやろうと
関係《かんけい》ない！
敵《てき》は黒姫《くろひめ》だけ
じゃ！
それに
鬼丸団《おにまるだん》5万兆人《まんちょうにん》の
前《まえ》には神《かみ》でも
手出《てだ》しは出来《でき》んて
人数《にんずう》変《か》わって
ますがな…
死神《しにがみ》の次《つぎ》は
賞金稼《しょうきんかせ》ぎ
かよ…

待《ま》てよ…
これだけ男《おとこ》が
いるってことは…
イイ男《おとこ》イッパイ
愛情《あいじょう》イッパイ
手《て》に入《い》れて
この忌々《いまいま》しい
呪《のろ》いに おさらば
出来《でき》るかも!?
冴《さ》えてる!
今日《きょう》の俺様《おれさま》は
怖《こわ》いくらいに
冴《さ》えてる!!
うけけけけけ
また何《なに》か
企《たくら》んでる…
さぁて
どう料理《りょうり》
したろうか
抱きっ
鬼丸《おにまる》ーっ
怖《こわ》かったよーー!

何《なん》や？ 何《なん》の真似《まね》や？
鬼丸《おにまる》ってば いっつも危険《きけん》な 時《とき》に助《たす》けて くれるんだもん
姫子《ひめこ》感激《かんげき》〜〜
ほほう〜
敵《かな》わんと見《み》て 命乞《いのちご》いときたか
あれ？ 鬼丸《おにまる》 男前《おとこまえ》になったん じゃない？
そ…
やっぱり？!
わかる？
そお？
その手《て》に乗《の》ったら あきまへん！ 団長《だんちょう》が男前《おとこまえ》な わけないですがな
いやあ〜
わかる？
そらそう やな…って
こんな悲《かな》しい ノリ突《つ》っこみ さすなーっ!!
鬼丸《おにまる》 大好《だいす》きーっ！
うほほ〜い！
きゃ
きゃ

酒《さけ》持《も》って来《こ》〜い！今日《きょう》は祭《まつ》りじゃ〜!!
え!?
ワシら黒姫《くろひめ》殺《や》るために大陸中《たいりくじゅう》から集《あつ》められて……
団長《だんちょう》がああなったらもうアカンわ
楽勝《らくしょう》！
後《あと》は鬼丸団《おにまるだん》の中《なか》から理想《りそう》の男《おとこ》を探《さが》し出《だ》し
ついでに鬼丸《おにまる》も丸《まる》め込《こ》んで鬼丸団《おにまるだん》ごと頂《いただ》く!!
ゴォウ

悪子《アクス》
どうする気《き》だ争怒《ソード》
奴《やつ》の言《い》うように我々《われわれ》は生人《いきびと》に手出《てだ》しは出来《でき》ん
それに黒姫《くろひめ》は例《れい》の女神《めがみ》のお気《き》に入《い》りだし
冥子《メイス》
下手《へた》に手《て》を出《だ》せば死神天使団《われわれ》はおろか死神様《しにがみさま》にも罰《ばつ》が下《くだ》るやもしれん
犯魔《ハンマー》

じゃあ あの手《て》でもヤル？
蛇牙《ダガー》
乱子《ランス》
ここで許《ゆる》せば 黒姫《くろひめ》は同《おな》じことをするわ それこそ死神天使団《しにがみてんしだん》の 威信《いしん》に関《かか》わるわよ
賛成《さんせい》ーっ あの手《て》 大好《だいす》きーっ♡
争怒《ソード》

そうね 我々《われわれ》が 手《て》を下《くだ》さず
黒姫《くろひめ》が死《し》ねば
天上界《てんじょうかい》でも 問題《もんだい》には ならないわね
パァン
パン
パァン
オオオオ

パァン
オオオオ
ほほう…中々《なかなか》イイ男《おとこ》が揃《そろ》ってんじゃん
計画《けいかく》
発動《はつどう》!!!
ドドドド
ドドドド

姫子《ひめこ》で〜す
みんな仲良《なかよ》くしてね♡
……
ポッ〜ン
待《ま》てコラー!
俺様《おれさま》の本来《ほんらい》の姿《すがた》を思《おも》い出《だ》せ
おおお!
ムパンムパンのプリンプリン
けど 団長《だんちょう》の女《おんな》に手《て》ぇ出《だ》したら殺《ころ》されてまうしな…
何《なに》うろちょろしとる?
こっちゃ来《こ》い姫子《ひめこ》
は〜い♡

寝《ね》てろ!!
私《わたし》と真実《しんじつ》の愛《あい》で
結《むす》ばれたら
どうなると思《おも》う？
ぐったり
シュ〜
神《かみ》の呪《のろ》いが解《と》け
世界最強《せかいさいきょう》の
黒姫《くろひめ》と共《とも》に
鬼丸団《おにまるだん》どころか
世界《せかい》をモノに出来《でき》る
男《おとこ》になれるんだよ
最高《さいこう》の女《おんな》と
世界《せかい》が俺《おれ》の
モノに!!!
そのためには
もちろん
ありったけの愛《あい》を
私《わたし》に捧《ささ》げるんだよ
さあ！
黒姫様《くろひめさま》と
お呼《よ》び！
黒姫《くろひめ》
様《さま》ーっ!!!

イケル！
待《ま》ってろよ
天上《てんじょう》の神族《しんぞく》ども！
呪《のろ》いを解《と》いて
復讐《ふくしゅう》して
やっからな
姫《ひめ》 あんまり
無茶《むちゃ》なことは
止《や》めたほうが
おお！
零《ゼロ》か
今《いま》までよく
やってくれた
でも これからは
男《おとこ》に困《こま》ることは
ないから
ここでお別《わか》れだ
え？
お別《わか》れって？

用《よう》無《な》しってことだよ
青《あお》二《に》才《さい》の番犬《ばんけん》なんて要《い》らないんだ
・・・・・・・
美女《びじょ》やー！踊《おど》り子《こ》が来《き》たでーっ
何《なに》!?
美《び》女《じょ》!!!

ごっつい美人《びじん》やな〜
見《み》ただけで
鼻血《はなぢ》出《で》てもうた
ボタ
ボタ
ボタ
ボタ
いや
それは…
旅《たび》の踊《おど》り子団《こだん》です
もしよければ 舞《まい》を
披露《ひろう》しますが
けど連《つ》れてる蛇《へび》
あれ毒蛇《どくへび》でっせ
お？
ホンマや…
毒蛇《どくへび》は
「死《し》の使《つか》い」
言《い》うて不吉《ふきつ》や
断《ことわ》りまひょ
この蛇《へび》は我《われ》らを
愛《あい》し慕《した》う者《もの》
危険《きけん》は
ありません
蛇《へび》になり
た〜い♡
ああん

争怒《ソード》 この後《あと》は？
黒姫《くろひめ》への変身《へんしん》を 防《ふせ》ぐため
奴《やつ》に言《い》い寄《よ》る 男達《おとこたち》を誘惑《ゆうわく》し 孤立《こりつ》させる
子供《こども》のままなら "あの手《て》"で楽《らく》に 命《いのち》を奪《うば》えるしね
コラ！ お前《まえ》ら 私《わたし》への愛《あい》は どうした!?
目先《めさき》の美女《びじょ》には 敵《かな》いまへん～ しかも8人《にん》や♡
ここの団長《だんちょう》は 私《わたし》が落《お》とす
問題《もんだい》は零《ゼロ》という 黒姫《くろひめ》の連《つ》れね
完全《かんぜん》に孤立《こりつ》させる には あの若者《わかもの》を 引《ひ》き離《はな》さないと

はいは〜い♡あの年頃《としごろ》の子《こ》なら乱子《ランス》ちゃんにおまかせ〜
それじゃあ…〝あの手《て》〟作戦《さくせん》開始《かいし》よ
私達《わたしたち》の〝特技《とくぎ》〟は舞《まい》だけではないわ
ほ〜
二人《ふたり》きりになればお見《み》せしてあげられるのに…

祭《まつ》り終了《しゅうりょう》〜〜!!!
消《しょう》灯《とう》〜〜!!!!
ええええええええええ
今始《いまはじ》まったとこですやん!
良《よ》い子《こ》は早《は》よ寝《ね》なアカンて教《おそ》わってへんのか!
文句《もんく》ある奴《やつ》はかかって恋《こい》!
鬼丸《おにまる》 貴様《きさま》もか…
ここからは大人《おとな》の時間《じかん》よ
そうそう♡
私《わたし》の本当《ほんとう》の姿《すがた》を思《おも》い出《だ》せ!
こんな安《やす》っぽい女《おんな》より…
ビクゥ

ムぎゅ〜〜〜
お母ちゃ〜ん オイラな〜 オイラな〜
子供《こども》は早《はや》く おやすみ
お…お前《まえ》ら もかよ…
くっそ〜〜! お前《まえ》らみたいな 男《おとこ》なんてこっちから 願《ねが》い下《さ》げだ〜〜!

フン！お前《まえ》らがいなくったって私《わたし》には零《ゼロ》がいるんだから…
零《ゼロ》が…
誰《だれ》よりも姫《ひめ》を助《たす》けたいと思《おも》っているんだ
危《あぶ》ない姫《ひめ》!!
黒姫《くろひめ》が好《す》きなんだ!!!
この手《て》は死《し》んでも放《はな》さないから上《のぼ》ってきて…
僕《ぼく》も命懸《いのちが》けで戦《たたか》います!!
姫《ひめ》が逃《に》げる時間《じかん》を

零《ゼロ》の代《か》わりの愛情《あいじょう》なんていくらでも手《て》に入《はい》るのさ！
用《よう》無《な》しってことだよ青《あお》二《に》才《さい》の番《ばん》犬《けん》なんて要《い》らないんだ
零《ゼロ》が…

大丈夫《だいじょうぶ》？ 姫《ひめ》
零《ゼロ》!? お前《まえ》 まだいたのかよ …どうして…
姫《ひめ》を放《ほう》っとける わけないじゃない
それに何《なに》か 落《お》ち込《こ》んでる みたいだったし
……
どうかしたの？
姫《ひめ》？

うるさい！お前《まえ》なんかいなくったって私《わたし》は平気《へいき》なんだ
とっとと消《き》え失《う》せろ！
ダッ
姫《ひめ》!?
ふ～ん 君《きみ》零《ゼロ》って言《い》うのね
私《わたし》は乱《ラン》ちゃんで～すよろしくね～～♡

これは愛《あい》の儀式《ぎしき》よ
私《わたし》を愛《あい》し慕《した》う者《もの》としての契約《けいやく》
その証《あかし》としてこの足《あし》に接吻《せっぷん》を
シャ〜
もう〜じらしてからに〜この可愛子《かわいこ》ちゃんめ〜

ムチュウ
うう
足《あし》やろうが 胸《むね》やろうが どこでもしまっせ～
クス クス
足《あし》への接吻《せっぷん》は 服従《ふくじゅう》を意味《いみ》するのよ
!!?
私《わたし》を愛《あい》し 私《わたし》のためならば その命《いのち》も差《さ》し出《だ》す
しもべとしての 誓《ちか》い
ビキ
ビキ
ガッ
グガッ
今日《きょう》からお前《まえ》は 私《わたし》のモノよ

我《わ》がしもべよ
お前《まえ》の毒牙《どくが》で
黒姫《くろひめ》を殺《ころ》せ

ムチュ
いただきま〜す♡
ハァ
ハァ
零《あいつ》バカだ…
青二才《あおにさい》の上《うえ》にどうしようもないバカ野郎《やろう》だ
なんであそこまで言《い》われて まだ側《そば》にいるんだよ
なんで私《わたし》が好《す》きなんだよ
それに…

なんで私《わたし》は泣《な》いてるんだよ
過《あやま》ちに気《き》づいたのね

なんで私《わたし》は逃《に》げて来《き》たんだよ
零《かれ》の優《やさ》しさが怖《こわ》かったのね
それになんで…
こんなに胸《むね》が苦《くる》しいんだよ
それは…

もしかして私《わたし》…本《ほん》気《き》で
零《ゼロ》に惚《ほ》れてる？

ねぇ零《ゼロ》 あんな わがままな 子《こ》は放《ほう》っといて
私《わたし》と恋《こい》しましょ♡

装《そう》10弾《だん》
死神《しにがみ》天使《てんし》
(後編《こうへん》)

零《アイツ》はいつも
助《たす》けてくれた
誰《だれ》よりも
姫《ひめ》を助《たす》けたいと
思《おも》っているんだ
いつだって私《わたし》だけを
見《み》ていてくれてた…
零《ゼロ》の代《か》わりの
愛情《あいじょう》なんて
いくらでも
手《て》に入《はい》るのさ！
青二才《あおにさい》の
番犬《ばんけん》なんて
いらないんだ
なのに私《わたし》
酷《ひど》いこと言《い》った…
もしかして…
私《わたし》って
本気《ほんき》で零《ゼロ》に
惚《ほ》れてる？

まさか…
ケッ
神《かみ》の呪《のろ》いで子供《こども》にされてるとはいえこの世界最強《せかいさいきょう》の美魔女《びまじょ》 黒姫様《くろひめさま》が
あんな青二才《あおにさい》のガキ一人《ひとり》に心《こころ》を奪《うば》われるわけないっしょ
ガサァ
ん？
シャアア

キシャァ
ぎゃああああ 助《たす》けて零《ゼロ》ーーっ!!!
ねえ零《ゼロ》 私《わたし》と恋《こい》しましょ
乱《ラン》子《ス》
えと…
乱《ラン》ちゃんって呼《よ》んでね
初対面《しょたいめん》でいきなりそんなこと言《い》われても…

うるうるうる
私《わたし》が嫌《きら》いなのね
…可愛《かわい》くないから
あぁわぁあぁあ
ち…違《ちが》うよ
可愛《かわい》いよ!
ただ…
なんだろう
この子《こ》は?
ぷ～
じゃあ
証拠《しょうこ》を
見《み》せて!
え?
証拠《しょうこ》って…
私《わたし》の足《あし》に
接吻《せっぷん》するの
好《す》きだって
証《あかし》にね
ムチュウウ

!!?
な…なんや
これは…
足《あし》への接吻《せっぷん》は
愛《あい》し慕《した》うことの証《あかし》
それは愛《あい》する
者《もの》への服従《ふくじゅう》も
意味《いみ》するのよ
オ…オドレ…
ただの踊《おど》り子《こ》や
ないな…
ザワ
ザワ
ザワ

私《わたし》は死神《しにがみ》天使《てんし》の争怒《ソード》
黒姫《くろひめ》を殺《ころ》すために利用《りよう》させてもらうわよ
し…死神《しにがみ》…天使《てんし》!?

魂《たましい》の番人《ばんにん》である
死神天使《われわれ》が
殺生《せっしょう》を働《はたら》くわけ
にはいかない
でも直《じか》に手《て》を
下《くだ》さなければ
問題《もんだい》には
ならないわ
例《たと》えば お前達《まえたち》の
ようなしもべを
使《つか》うとかね
達《たち》やと!? まさかワシの
手下《てした》らを…
ご名答《めいとう》
今頃《いまごろ》
私《わたし》の仲間《なかま》が
強力《きょうりょく》な毒牙《どくが》を
持《も》つしもべへと
変《か》えているはず
そして愛《あい》の
儀式《ぎしき》を
済《す》ませた以上《いじょう》
お前《まえ》も じき
そうなる
なんで
黒姫《くろひめ》を…

因縁《いんねん》…かしら
10年前《ねんまえ》のね
お前《まえ》も10年前《ねんまえ》に黒姫《くろひめ》に裏切《うらぎ》られ復讐《ふくしゅう》を誓《ちか》ったのでしょう?
今《いま》だって あの女《おんな》はお前《まえ》を利用《りよう》するために言《い》い寄《よ》ってきたのよ
ふふふ
それやったらオドレも一緒《いっしょ》やないけ
そうね 黒姫《くろひめ》がつけたその焼《や》き印《いん》のように
今度《こんど》は私《わたし》の犬《いぬ》になるのよ
か…体《からだ》が伸《の》びる?
くそっ 伸《の》びんな～!!
いえ 蛇《へび》だったわね

体《からだ》が大《おお》きくなりよる!?
ち…小《ち》っちゃなれ～!!
変身《へんしん》を抑《おさ》えるなんて 凄《すさ》まじい精神力《せいしんりょく》ね
なめてん違《ちゃ》うぞ…
ワシはこれ以上《いじょう》…
これ以上《いじょう》…
女《おんな》に利用《りよう》されんのは嫌《いや》なんじゃあああああ!!!!
な…
な…な…

心から

なんでやねん!!?

犬
後《うしろ》

見なかったことに…
え!!?見捨《みす》てる!?
オーイ…って声出《こえで》えへんし
パタ パタ
パタ パタ
どないせえっちゅうねん!!!!?
さあさあ接吻《せっぷん》を!
うり うり
ごめんね 僕《ぼく》姫《ひめ》を捜《さが》さないと
なんであんな女《おんな》がイイの!? 黒姫《くろひめ》になったら綺麗《きれい》だから?
ちょっと
ケケケ
でもアイツは世界中《せかいじゅう》の男《おとこ》を手玉《てだま》に取《と》るような悪女《あくじょ》よ
そんなの好《す》きになったって利用《りよう》されて捨《す》てられるだけじゃない!

それでも
いいんだ
姫《ひめ》が喜《よろこ》ぶ
なら
へ〜意外《いがい》と
かわいいんだ
でも そんなの
認《みと》めない…
え？
ザワ ザワ ザワ
！
キュルゥ
き…
君《きみ》は

死神天使《しにがみてんし》の乱子《ランス》参上《さんじょう》お
ギュウゥ
君《きみ》は身《み》も心《こころ》も私《わたし》のモノになるの♡
ムニュ
!!!
ビキ ビキ

ドドド
ぎゃあああ
どんどん増《ふ》える
～っ
あ！零《ゼロ》!!
助《たす》け…
カアア
ぜ…
零《ゼロ》…
ザザァ

さぁ！
私《わたし》のしもべちゃん
黒姫《くろひめ》を殺《や》るのよ
コラ零《ゼロ》！
私《わたし》だっての
!!
ひひひ
無駄《むだ》
無駄《むだ》～
どうやら片《かた》は
ついたようね
お前《まえ》の憧《あこが》れてる
黒姫様《くろひめさま》だぞ
惚《ほ》れた女《おんな》を殺《ころ》すのか!?
お前《まえ》の愛《あい》は そんな
ものなのかよ!!

愛《あい》だって!?
おはははは
ぷっ
利用《りよう》するだけのくせして
うるさ…
……
愛《あい》が伝《つた》わるのか…
それは誰《だれ》よりも自分《じぶん》がよく知《し》っていた…
零《ゼロ》の好意《こうい》を知《し》っていた
今《いま》まで何度《なんど》も救《すく》われた…

なのに私《わたし》は
それを利用《りよう》してきたんだ
黒姫《くろひめ》の魂《たましい》は私《わたし》が斬《き》り裂《さ》いて消滅《しょうめつ》させてやる
だから最期《さいご》には
ザワ
ザワ
こんなことしか言えない…

ごめんね
…零《ゼロ》…
ポタ
ポタ
ドクン
毒《どく》がまわり
死《し》を意識《いしき》した
その時《とき》…
ドクン ドクン
零《ゼロ》に殺《ころ》されるなら…
それでもいいと思《おも》った…

え!?
なんで?
黒姫《くろひめ》になるには
誰《だれ》かの愛《あい》が
必要《ひつよう》なはず
まさか…
自分《じぶん》から
愛《あい》に目覚《めざ》めた!?
ザッ
白
水
呪
解

間一髪《かんいっぱつ》
間《ま》に合《あ》った
回復魔砲《かいふくまほう》
桜花身弾《オオカミダン》
姫《ひめ》・・・
認《みと》めたくなかったのかもね・・・
世界最強《せかいさいきょう》の私《わたし》がお前《まえ》みたいな青《あお》二《に》才《さい》に惚《ほ》れるなんてさ・・・
でも・・・

好《す》きだよ
零《ゼロ》

ち…失《しっ》敗《ぱい》か…
さあてどうやって片《かた》付《づ》けてやろうか
ほ〜
ただ問《もん》題《だい》は銃《じゅう》だな
まだ完《かん》全《ぜん》には信《しん》用《よう》出《で》来《き》んから旋《せん》龍《りゅう》はワシが預《あず》かっとく
ちぇ
旋龍《アレ》がないと強《きょう》力《りょく》な魔《ま》砲《ほう》弾《だん》が練《つく》れないわね

なんだこの
得体《えたい》の知《し》れない
生《い》き物《もの》は？
あれ？
鬼丸《おにまる》と同《おな》じ
焼《や》き印《いん》…
そうや
ワシや
分《わ》かったら
死神《しにがみ》天使《てんし》倒《たお》して
人間《にんげん》に戻《もど》してくれ
新種《しんしゅ》の番犬《ばんけん》か!?
私《わたし》に仕《つか》えるために
生《う》まれてきたのか!?
ムギュウ
気《き》に入《い》った
こんな犬《いぬ》
おるかーっ!!!
…！

き…気《き》に入《い》った…
あう
あう
あう
仕《つか》えまっせ!
犬《いぬ》にもなりまっせ~
失敗《しっぱい》だ
退《ひ》くぞ争怒《ソード》
相手《あいて》が黒姫《くろひめ》だとしても
許可《きょか》なく我々《われわれ》が
人間《にんげん》を殺《ころ》せば
天上界《てんじょうかい》で
問題《もんだい》になる
そうそう
「天使《ザコ》」は殺《ころ》される
前《まえ》に消《き》えな

争怒《ソード》!?
責任《せきにん》はすべて私《わたし》が負《お》う!
この女《おんな》だけは魂《たましい》ごと消滅《しょうめつ》させてやる
こうなったら殺《や》るしかない!

黒
一斉攻撃《いっせいこうげき》だ！
黒姫《くろひめ》に魔砲弾《まほうだん》を練《つく》る
スキを与《あた》えるな
龍

射
ブゥン

獣
ゴオオオ
ビキ
ビキ
ビキ
もらったああ!!!

ハッタリだね！ 魔砲弾《まほうだん》は まだ 完成《かんせい》していない
やられた！ 通常弾《つうじょうだん》で 弾《はじ》かれた…
魔《ま》砲《ほう》弾《だん》完《かん》成《せい》

ドザァ
ァ
ァ
黒射去
獣龍

鉄《テッ》牙《ガ》砲《ホー》龍《リ》弾《ダン》!!

私《わたし》の敵《てき》は神《かみ》だけだ
天使《ザコ》に用《よう》はないんだよ
す…
凄《すご》すぎるよ…姫《ひめ》

くっ…
無理《むり》だ 我々《われわれ》の力《ちから》が 通用《つうよう》する 相手《あいて》ではない
!!?
!
あれれ? あんなとこに 川《かわ》なんて あった?
っていうか 赤《あか》い川《かわ》って…
もしかして あれ…
三途《さんず》の川《かわ》 じゃない?
げげ…

な…何《なに》あの川《かわ》!? 今《いま》まであんなのなかったのに…
ザザァ
それに赤《あか》い川《かわ》なんて…
血《ち》の匂《にお》い…
あれは血《ち》の川《かわ》…
別名《べつめい》三途《さんず》の川《かわ》だ
ザワザワ
血《ち》!?
三途《さんず》の川《かわ》って…もしかして
死人《しにん》が渡《わた》るっていう あの…
死《し》者《しゃ》の棲《す》む世《せ》界《かい》
黄泉《よみ》の国《くに》の門《もん》が開《あ》いた

ズゥゥウ
そ…そんな…
嘘《うそ》？嘘《うそ》嘘《うそ》!?
ズズズズ
ズズゥ
な…なぜ下界《げかい》へ来《こ》られたのですか…
死神様《しにがみさま》

死神《しにがみ》
堕悪霊《ダークレイ》
天上界《てんじょうかい》の決定《けってい》だ 黒姫《くろひめ》を殺《ころ》す
そんな… 死神様《しにがみさま》自《みずか》らが…
ふん 誰《だれ》が相手《あいて》でも同《おな》じさ
ただ…
神族《しんぞく》が相手《あいて》なら こっちも本気《ほんき》で 殺《ころ》してやるよ

!
な…なぜお前《まえ》が…
白姫《しろひめ》…黒姫《くろひめ》を封印《ふういん》しろ

ジュオオオ
くく…ふふっ…
ギュウウン
なっ…なにぃ!!?
!?
何《なん》だこれ
黒姫《くろひめ》の呪《のろ》いを「封印《ふういん》」しました
これで二度《にど》と元《もと》の黒姫《くろひめ》の姿《すがた》に戻《もど》ることはありません
!!!!

死神天使団《しにがみてんしだん》
(争怒《ソード》)
実《じつ》はめっさ気《き》に入《い》ってて
機会《きかい》があったら彼女《かのじょ》(達《たち》)の番外編《ばんがいへん》でも
描《か》きたいなぁ～とか思《おも》ってます
魂《たましい》バンバン狩《か》りまくるようなやつとか…
ちなみに争怒《ソード》はボツとなった#4話《わ》で
“霊花姫《リョウカヒメ》”て名前《なまえ》でした

装《そう》11弾《だん》三途《さんず》の川《かわ》

ここまで来《く》れば大丈夫《だいじょうぶ》だろう
変身《へんしん》を解《と》いて大和《ヤマト》まで飛《と》ぶか
!

血《ち》と死《し》の匂《にお》い…これはまさか…
黄泉《よみ》の国《くに》の門《もん》が開《ひら》いたのか!?
死者《しゃ》の世界《せかい》を統《す》べる神《かみ》…
ズズズ…

死神《しにがみ》堕悪霊《ダークレイ》
なぜ
死神様《しにがみさま》が
下界《げかい》に⁉
天上界《てんじょうかい》の決定《けってい》だ
黒姫《くろひめ》を殺《ころ》す

白姫《しろひめ》…
黒姫《くろひめ》を封印《ふういん》しろ
お…お前《まえ》がどうしてここに!?
これで二度《にど》と元《もと》の黒姫《くろひめ》の姿《すがた》に戻《もど》ることはありません

く…黒姫《くろひめ》そっくりや…
白姫《しろひめ》言《ゆ》うたな…どうゆうこっちゃ?
以前《いぜん》現《あらわ》れた女神様《めがみさま》…?
それがどうして…

!
ボウ
こいつ〜だぁ〜
こいつ〜が殺《や》った〜
以前《いぜん》姫《ひめ》が倒《たお》した山《やま》の神様《かみさま》…
シュウウ
死《し》んでしまえば神《かみ》も人《ひと》もないただの霊《れい》だ
行《い》き着《つ》く先《さき》は我《わ》が世界《せかい》黄泉《よみ》の国《くに》
だが我《わ》が眷族《けんぞく》の命《いのち》を奪《うば》った罪《つみ》は重《おも》い…

キサマの死《し》を
もってしても
償《つぐな》いは
済《す》まぬぞ
へっ
次《つぎ》はお前《まえ》を
殺《ころ》してやるよ
姫《ひめ》 その姿《すがた》じゃあ
何《なに》も出来《でき》ないよ
…

な…何《なに》アレ…
地獄《じごく》の亡者《もうじゃ》が物質化《ぶっしっか》したモノだ
じゃあ銃《じゅう》は通用《つうよう》するの?
ムオオオ
通用《つうよう》はするけど…
弾《たま》の無駄《むだ》!!!
ダッ

ま…待《ま》ってぇ～
腰《こし》が抜《ぬ》けた…
プル
プル
ぎゃあああ
あああ
ガシャ
ガシャ
ガシャ
へ？
あれ？
亡者達《もうじゃたち》は 生《い》きた
人間《にんげん》しか襲《おそ》いません
死神天使《しにがみてんし》のしもべと
なったあなたは
今《いま》やこの世《よ》とあの世《よ》の
境《さかい》に生《い》きる霊獣《れいじゅう》
つまりあの亡者《もうじゃ》と
同種《どうしゅ》の存在《そんざい》なのです
……

久《ひさ》しいですね…
鬼丸《おにまる》
わああああああ
な…なんだ
コイツら
わぁあああ

い…
生《い》きた人間《にんげん》の魂《たましい》…
わあああ!!?
がっ…
うまい…
に…
逃《に》げろ逃《に》げろーっ!!!

な…
なんだ!!?
こんな赤《あか》い川《かわ》なんて無《な》かったぞ!?
血《ち》の匂《にお》いだ…まさか血《ち》の川《かわ》なのか!?
とにかく渡《わた》れ～!!!

ぎゃあああああああ
体《からだ》が溶《と》けるううう
オオオ
がぁあああ
だっ…だずげで…
あぷ
何《なに》してる早《はや》く戻《もど》れ!!
あそこに鬼丸団《おにまるだん》のみんなが…

!!!
プカァ
ククク…無駄《むだ》じゃて…
キィ
キィ
生《い》きた者《もの》はこの川《かわ》は渡《わた》れん
これは「この世《よ》」と「あの世《よ》」を隔《へだ》てる「三途《さんず》の川《かわ》」じゃ
川《かわ》に囲《かこ》まれた内《うち》は
死者《ししゃ》の世界《せかい》「黄泉《よみ》の国《くに》」へと繋《つな》がる門《もん》

つまり…
何人《なんぴと》たりとも ここから生《い》きては 出《で》れんのじゃよ
閉《と》じ込《こ》められた のか!? 死者《ししゃ》の世界《せかい》に!!?
ただし…
!
唯一《ただひと》つだけ 例外《れいがい》がある
この舟《ふね》ならば 生《い》きた者《もの》を 向《む》こう岸《ぎし》へと渡《わた》す ことが出来《でき》るんじゃ

の…乗《の》せてくれ！
いや俺《おれ》が
俺《おれ》が‼
ドオオン
ぐああああああああああ
言《い》い忘《わす》れたがこの舟《ふね》には一人《ひとり》しか乗《の》れんし
一度《いちど》向《む》こうへ渡《わた》れば舟《ふね》をこちらへと戻《もど》す手段《しゅだん》はない…
そして最《もっと》も重要《じゅうよう》なことは…
ここから生《い》きて出《で》られるのは
この中《なか》で一人《ひとり》だけということじゃ

な…
一人《ひとり》…
だけ…
つまり…俺様専用《おれさませんよう》?
なんでやねん!
……
好《す》きだよ 零《ゼロ》

ドオオ
その舟《ふね》は
俺《おれ》のものだー！
何《なに》しやがる!?
バカ
押《お》すな！
……！

ガァン
ガァン
ガァン
ガガァン
ガァン
ワァァ
同士《どうし》討《う》ちしてる場合《ばあい》か!! 協力《きょうりょく》して戦《たたか》わんかい!
白姫《しろひめ》 そなたの慈愛《じあい》からうまれたあの救《すく》い舟《ぶね》も
人《ひと》の醜《みにく》さを強調《きょうちょう》するだけのものに過《す》ぎぬな
かつては そなたも愚《おろ》かな人間《にんげん》の一人《ひとり》であったが
今《いま》は神《かみ》となり我等《われら》の眷族《けんぞく》となった…
…

汚《けが》れの無《な》い…美《うつく》しき慈愛《じあい》の女神《めがみ》として…
死神様《しにがみさま》！
天上界《てんじょうかい》で黒姫抹殺《くろひめまっさつ》の命《めい》が下《くだ》ったのであれば
奴《やつ》の始末《しまつ》は私《わたし》にさせて頂《いただ》きたい
必要《ひつよう》ない 奴《やつ》らの始末《しまつ》は亡者《もうじゃ》どもがつける
では せめて亡者《もうじゃ》の指揮《しき》を！
その方《ほう》が早《はや》く済《す》むか…白姫《しろひめ》が退屈《たいくつ》せずに済《す》むな
いいだろう 任《まか》せたぞ争怒《ソード》

ガシイ
本当《ほんとう》は私《わたし》を
斬《き》りたいの
でしょう…
あなたの嫉妬《しっと》の
はけ口《ぐち》に
されるのでは
黒姫《彼女》も
たまったものでは
ないですね
ガガシャン
ガシャン

大丈夫《だいじょうぶ》
姫《ひめ》!?
くっそー
なんとかして
あの舟《ふね》
奪《うば》わないとな
僕《ぼく》に任《まか》せて
姫《ひめ》は僕《ぼく》が守《まも》ってみせる
零《ゼロ》って…
こんなに
頼《たの》もしかったんだ…

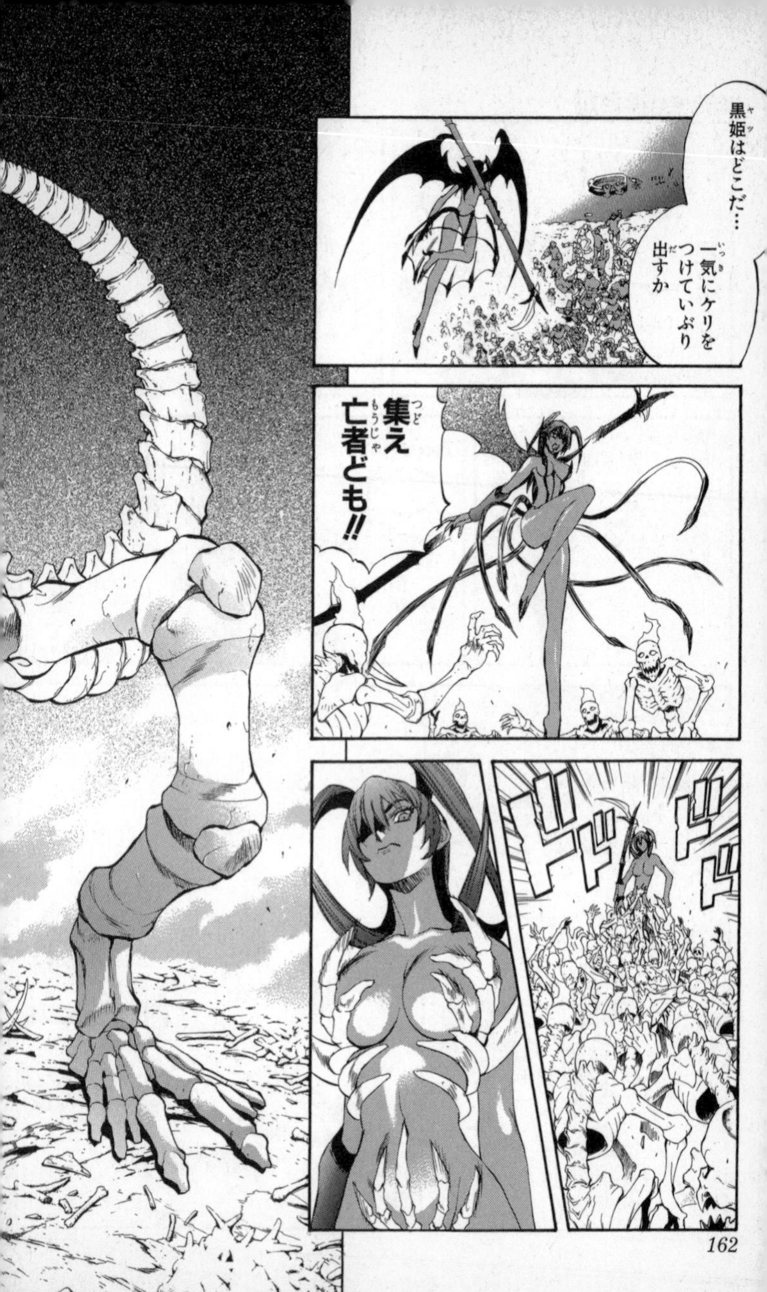
黒姫《ヤツ》はどこだ…
一気《いっき》にケリをつけていぶり出《だ》すか
集《つど》え亡者《もうじゃ》ども!!
ドドド
ドド

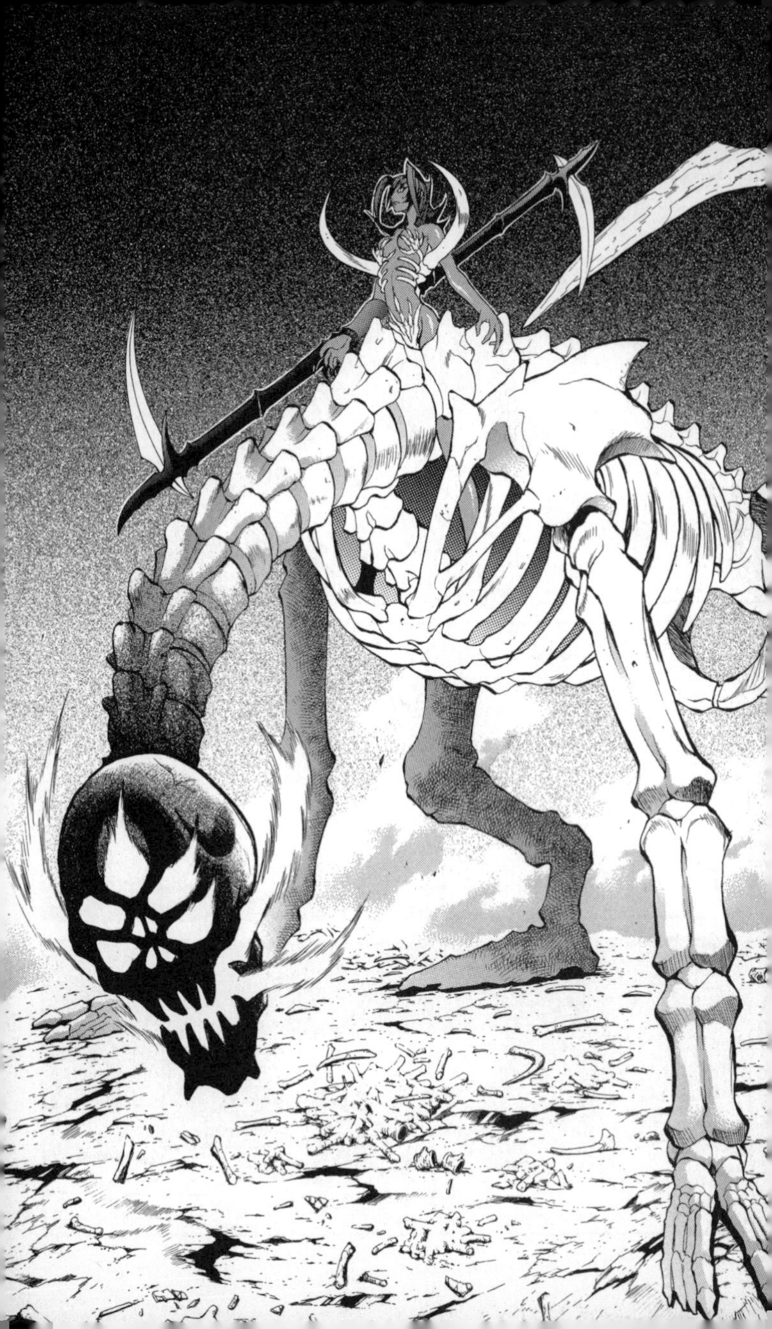

ヤッバイのが出《て》てきたな…
あ！あそこ!!

今《いま》のうちだ 早《はや》く乗《の》れ零《ゼロ》！
ガッ
……
零《ゼロ》!?

零《ゼロ》お前《まえ》…
!!!
行《い》って姫《ひめ》 僕《ぼく》なら平気《へいき》だから

これで良《よ》かったのかなお若《わか》いの
…はい…
ガシャア
命《いのち》を懸《か》けて人《ひと》を愛《あい》せたから
充分《じゅうぶん》です

ククク…ただ愛《あい》するだけで本当《ほんとう》に満足《まんぞく》かの？
え？
命《いのち》を懸《か》けるに値《あたい》するものなど簡単《かんたん》に見《み》つかるものではない
おめぇさんは本当《ほんとう》に手《て》に入《い》れたのかと問《と》うておる
ワシは多《おお》くの死者《ししゃ》を見《み》てきたが
どれもこれも不満《ふまん》や未練《みれん》に満《み》ちておる
おめぇさんも同《おな》じじゃな ただ愛《あい》するだけでは 納得《なっとく》などしておらん
本当《ほんとう》に得《え》たかったものは他《ほか》にあるはずじゃ

あなたの仲間《なかま》を巻《ま》き込《こ》んでしまったわね…
でも私《わたし》にはもう…
人《ひと》を救《すく》う力《ちから》は残《のこ》っていない…
ジロ
ワシや黒姫《くろひめ》のことを知《し》っとるしかも その姿《すがた》
一体《いったい》何者《なにもん》や？
かつては私《わたし》も「黒姫《くろひめ》」だった…
!!?

10年前《ねんまえ》 人間《にんげん》だった黒姫《くろひめ》が神《かみ》に戦《たたか》いを挑《いど》んだことは覚《おぼ》えていますね
忘《わす》れいでか
神《かみ》の力《ちから》を手《て》に入《い》れる言《い》うてワシらを裏切《うらぎ》りよったんや
あの神々《かみがみ》との戦《たたか》いで黒姫《くろひめ》は敗《やぶ》れ
その魂《たましい》を二《ふた》つに分離《ぶんり》させられたのです
黒姫《くろひめ》の記憶《きおく》と愛情《あいじょう》を持《も》った魂《たましい》は神族《しんぞく》となり
神《かみ》の力《ちから》を得《え》ました
それが私《わたし》…
黄泉《よみ》の国《くに》にて亡者《もうじゃ》を救《すく》う慈愛神《じあいしん》
白姫《しろひめ》

そして 神《かみ》に対《たい》する
敵意《てきい》と怒《いか》りに
満《み》ちた魂《たましい》は
子供《こども》の姿《すがた》で人間《にんげん》の
世界《せかい》に戻《もど》されたのです
それが
今《いま》の…
黒《くろ》姫《ひめ》

ガシャア

零《ゼロ》ーーっ!!!!
だ…駄目《だめ》だよ!
早《はや》く逃《に》げて!!
そこにいたか
黒姫《くろひめ》!

ジュウゥ
ぎゃうっ

逃《に》げられたのに…どうして…

一緒《いっしょ》じゃないと意味《いみ》ないだろバカ…

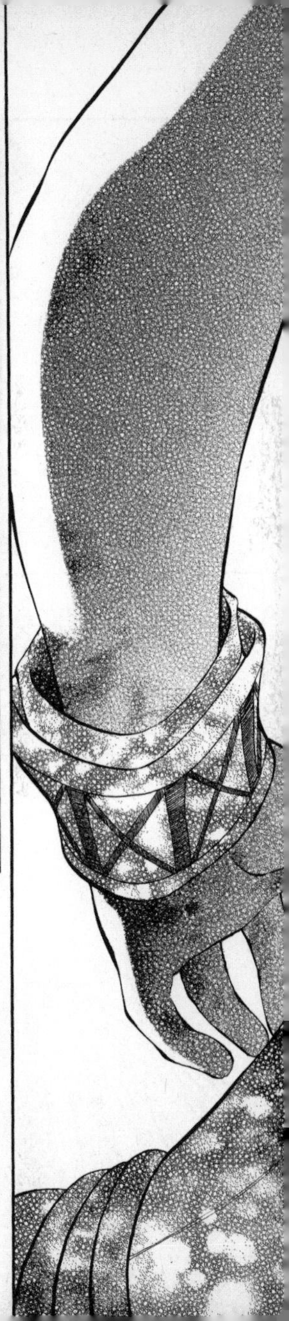

…大切《たいせつ》なことを
思《おも》い出《だ》した…

10年前《ねんまえ》
姫《ひめ》に救《すく》われた あの日《ひ》から
僕《ぼく》は正義《せいぎ》を追《お》い求《もと》めて
生《い》きてきた…
でも…
あの時《とき》 本当《ほんとう》に
感動《かんどう》したのは…
姫《ひめ》に救《すく》われたことで知《し》った…
「愛情《あいじょう》」だったんだ

そして今《いま》…
神様《かみさま》に愛情《あいじょう》を
奪《うば》われて
お前も
お前の命も
私のもんだぞ
私のために
闘って
私のために
死ねーっ
自分勝手《じぶんかって》に
生《い》きることしか
出来《でき》なかった
姫《ひめ》が…
僕《ぼく》のために
涙《なみだ》を流《なが》して…
僕《ぼく》のために
血《ち》を流《なが》して…
戻《もど》ってきてくれた
そう…10年前《あのとき》から僕《ぼく》は…
今《いま》 この瞬間《しゅんかん》のために
生《い》きてきたんだ

ほほえましい光景《こうけい》じゃのう
じゃが 運命《うんめい》というのは残酷《ざんこく》なものでな
それは今日《きょう》ここでどちらかが死《し》なねばならぬということじゃ
何度《なんど》も言《い》うが舟《ふね》は一人《ひとり》しか運《はこ》べんでな

くっ…
なら僕《ぼく》が残《のこ》って姫《ひめ》がいきます
ほう…良《よ》い顔《かお》になったな…
僕《ぼく》はもう姫《ひめ》のためなら心《こころ》おきなく…

戦《たたか》って死《し》ねる
零

10年《ねん》前《まえ》
何《なに》があったのかを

■ジャンプ・コミックス

魔砲使い黒姫

4死神天使

2004年7月7日　第1刷発行
2005年9月6日　第3刷発行

著　者　片倉・狼組・政憲

編　集　ホ　ー　ム　社
東京都千代田区一ツ橋2丁目5番10号
〒101-8050
電話 東京 03(5211)2651

発行人　鳥　嶋　和　彦

発行所　株式会社　集　英　社
東京都千代田区一ツ橋2丁目5番10号
〒101-8050
03(3230)6231(編集)
電話　東京　03(3230)6191(販売)
03(3230)6076(制作)
Printed in Japan

印刷所　株式会社　廣　済　堂

ISBN4-08-873636-2 C9979